荣寶斋畫谱

花　卉　部　分

王　雪　涛　绘

荣寶齋出版社
北京

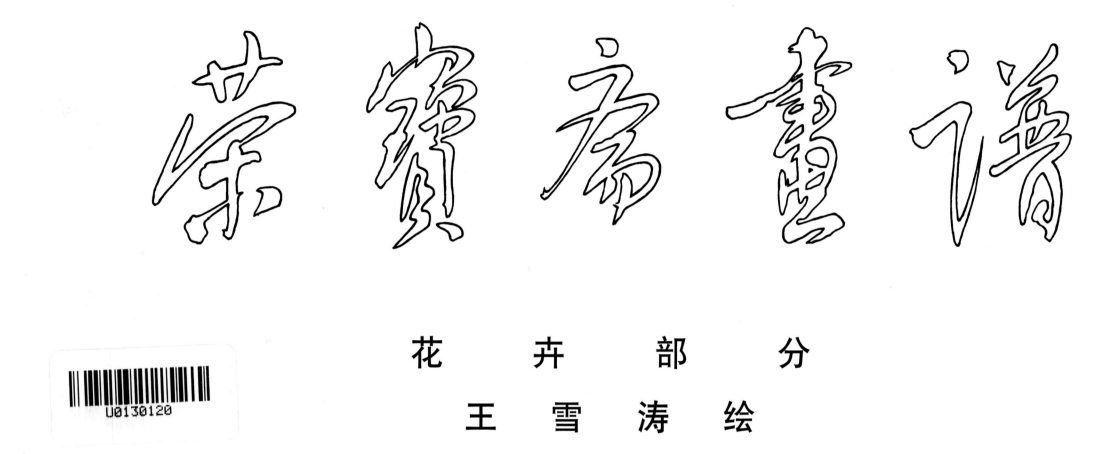

图书在版编目(CIP)数据

荣宝斋画谱．王雪涛绘花卉部分／王雪涛绘．
-北京：荣宝斋出版社，2022.10（2024.5重印）
ISBN 978-7-5003-2404-1

Ⅰ.①荣… Ⅱ．①王… Ⅲ.①花卉画-作品集
-中国-现代 Ⅳ.①J212

中国版本图书馆CIP数据核字(2021)第247541号

RONGBAOZHAI HUAPU (237) WANG XUETAO HUI HUAHUI BUFEN
荣宝斋画谱 （237） 王雪涛绘花卉部分

作　　者：王雪涛
编辑出版发行：荣寶齋出版社
地　　址：北京市西城区琉璃厂西街19号
邮 政 编 码：100052
制　　版：北京兴裕时尚印刷有限公司
印　　刷：鑫艺佳利（天津）印刷有限公司

开本：787毫米×1092毫米　1/8　印张：6.5
版次：2022年10月第1版　印次：2024年5月第3次印刷
定价：58.00元

榮寶齋畫譜題詞

畫譜的刊行，我們拍掌歡迎、近代作畫的不讀芥子園畫譜是例外，好像作詩詞的不讀唐詩三百首和白香詞譜是例外一樣，古人說：不以規矩不能成方圓，這話講出了真理，就是我們搞任何學問要老老實實先搞基本訓練討便宜走捷徑是不能成為大器的，榮寶齋畫譜保留了中國歷代畫家的傳統，又照顧到各時代的流派，且着重具有生活氣息，而製版作者又係現代名手，可以肯定說他的水平大大超過舊譜以上，值得歡迎，值得介紹，祝譜學新生，祝畫學大發展！

陳毅

一九六二年一月

王雪涛　号迟园，斋号瓦壶斋、藕华楼、无漏山庄、萝月堂、天风阁。河北省成安县人。是二十世纪中国美术史上卓有成绩的花鸟画大家。他毕生潜心研习传统绘画艺术，上溯宋元，涉猎明清，融汇古今中西，不断探索，以革新的意识创作了大量画作。终集大成而独树一帜，促进了我国现代写意花鸟画的发展。他的艺术成就代表了二十世纪中国花鸟画发展的潮流和趋势。

序

王明明

王雪涛先生是二十世纪写意花鸟画大家，我们学习并研究他的艺术成就，对当今中国写意花鸟画的发展具有重要意义。当下中国花鸟画的发展呈现出风格多样、百花齐放的繁荣景象，但在写意花鸟画发展过程中出现的一些问题应值得我们关注和思考。例如从事工笔花鸟画的画家占主要创作群体，而写意花鸟因其难度大则年轻画家越来越少；花鸟画写意精神的缺失，使其制作成风；以照相多媒体为手段代替生活体验，作品缺乏立意与意境；在学习传统中重技巧，师迹不师心；巨大尺幅创作追求视觉震撼，而缺少笔墨精妙、入眼入心的小幅精品；在众多的花鸟画家中很难有大师出现。这使我们不得不回眸二十世纪花鸟大师们所取得的成就，从而寻找丢失的中国画特殊的规律。王雪涛先生的花鸟画以他雅俗共赏、清丽活泼的风格而独树一帜。他从传统中汲取营养，开拓花鸟画的题材，表现时代精神，用娴熟的笔墨和精准的造型能力表现出他丰富的花鸟世界，形成了自己独特鲜明的艺术特色，确立了自己在美术史中的地位，并对后世有着广泛和深远的影响。他认为：『古人强调意在笔先，立意就是总纲，基本思想就是用什么去打动人心。立意饱满方可气脉一贯。』他强调：『默写对创作有重要意义，是中国画的特点所决定的。默写本身就是从感性上升到理性的认识过程，可以锻炼画家观察生活的深度，培养画家敏锐的观察力和记忆力。默写比速写更重要。我讲的默写，实际是默记，凭眼睛看，用脑子记。』他体会到：『不强调特定时间和环境下的视觉感受，用高度概括的艺术加工方法来表现，是中国绘画色彩运用的特点。以墨来概括自然界的色彩，以色助墨，以墨显色，一向为人所重视，就是中国画色彩表现的一大特点。中国画传统应该笔简意繁，耐人寻味，一以当十。』王雪涛先生对中国写意花鸟画规律的研究是精辟独到的，重温他的论述，对当下的写意花鸟画发展具有重要的借鉴意义。

荣宝斋再次出版《王雪涛画谱》，既是对王雪涛先生一次非常有意义的纪念，又是展示薪火相传的有益之举。

于潜心斋

目录

清芬幽远

秋熟

水仙

雪涛

三

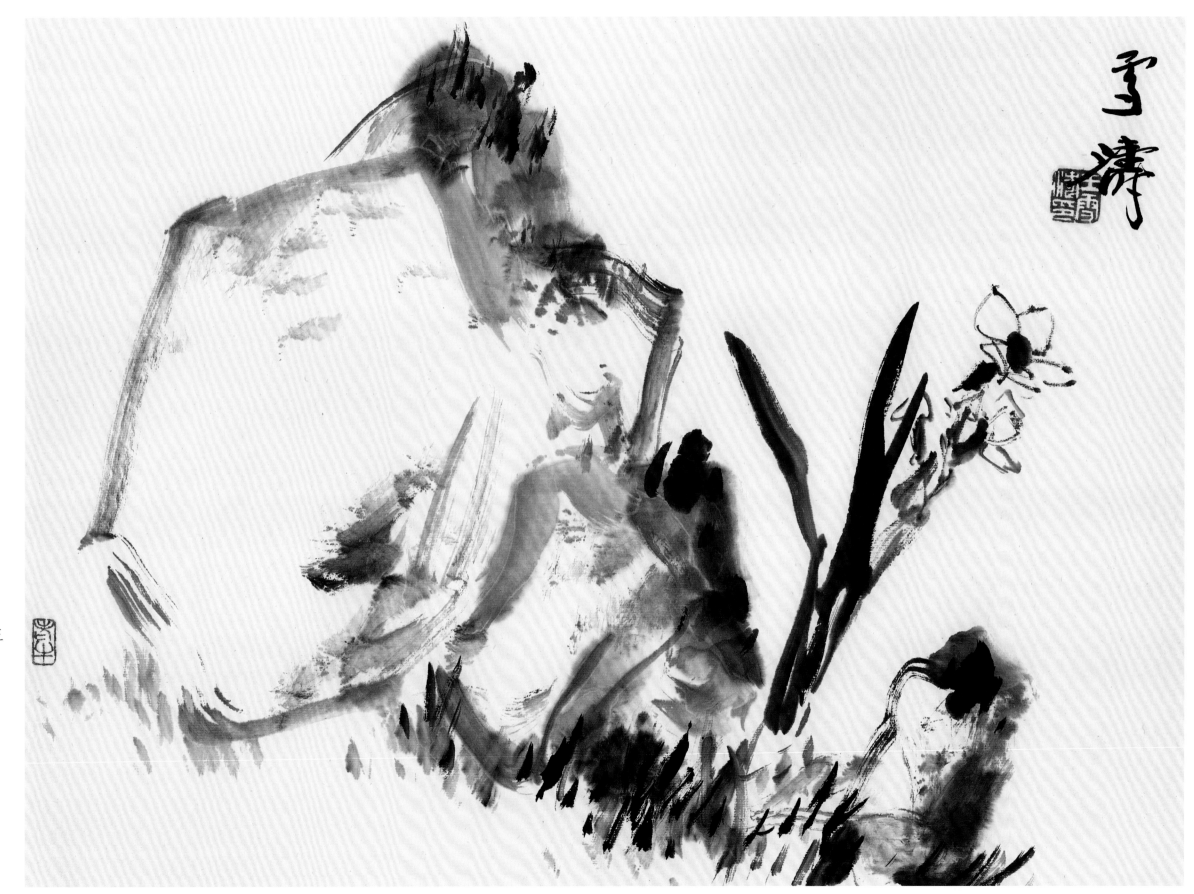

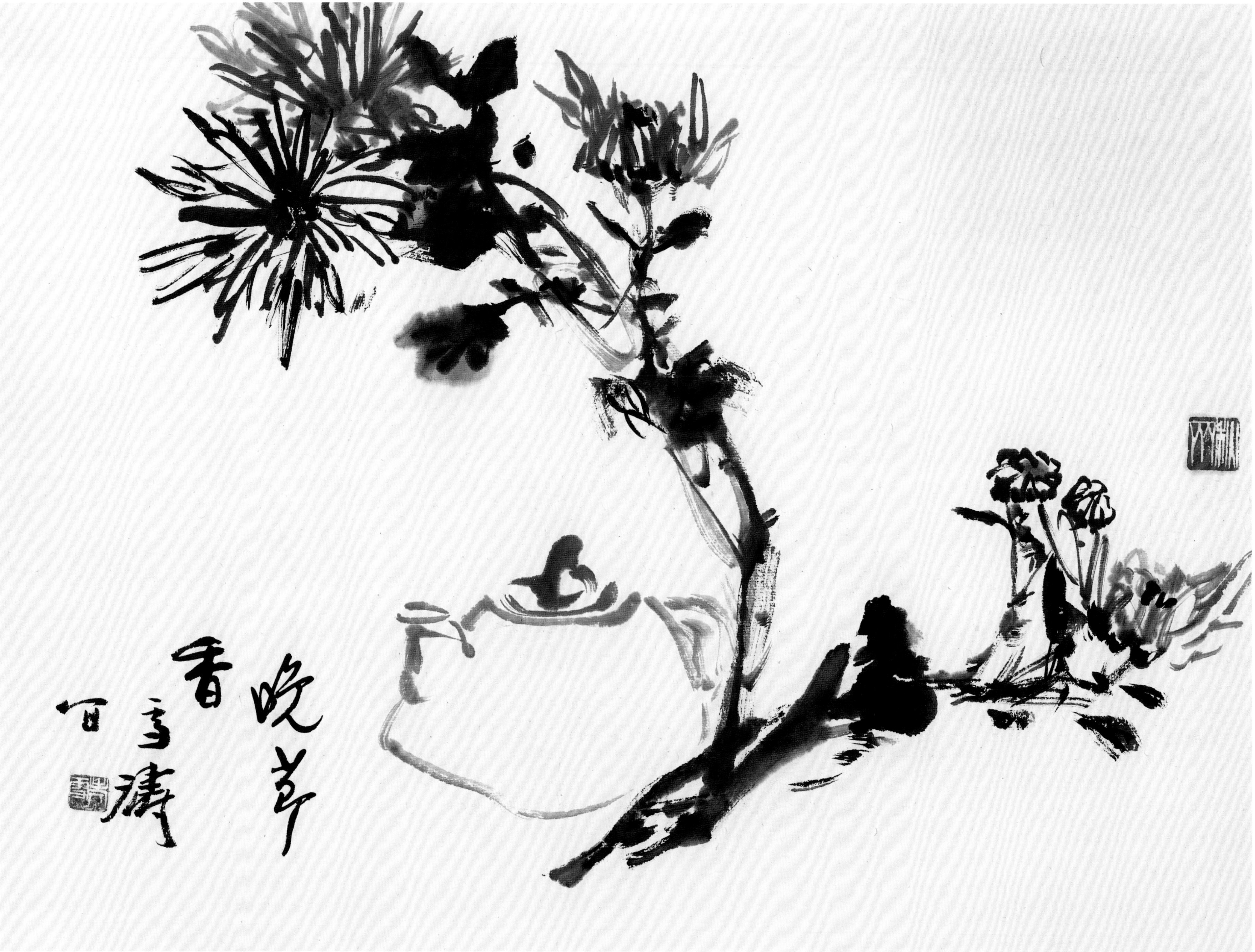
晚节香

雪肌冷玉容真香思
粉束为 圣涛写

五

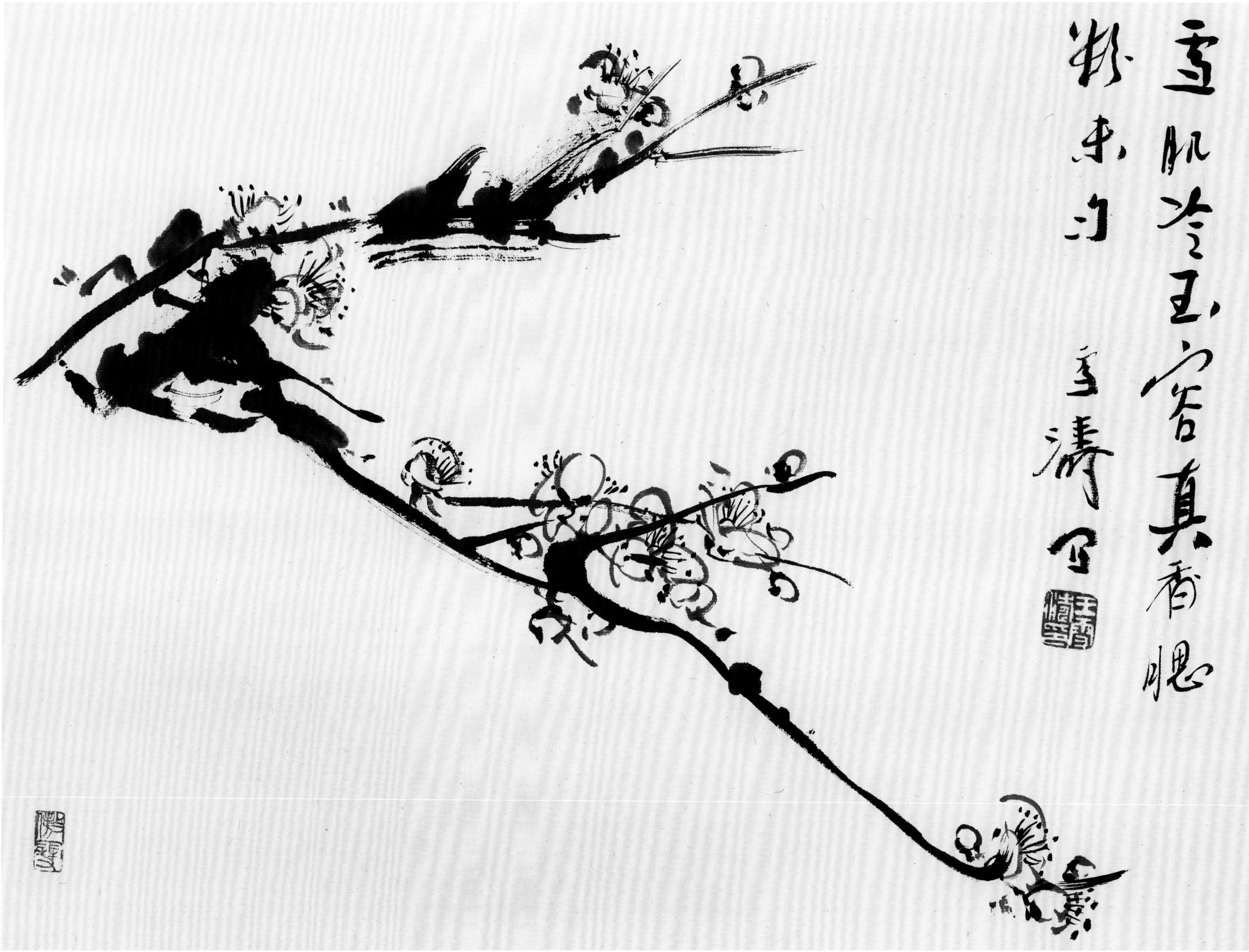

秾姿

墨牡丹

含春风以娱情

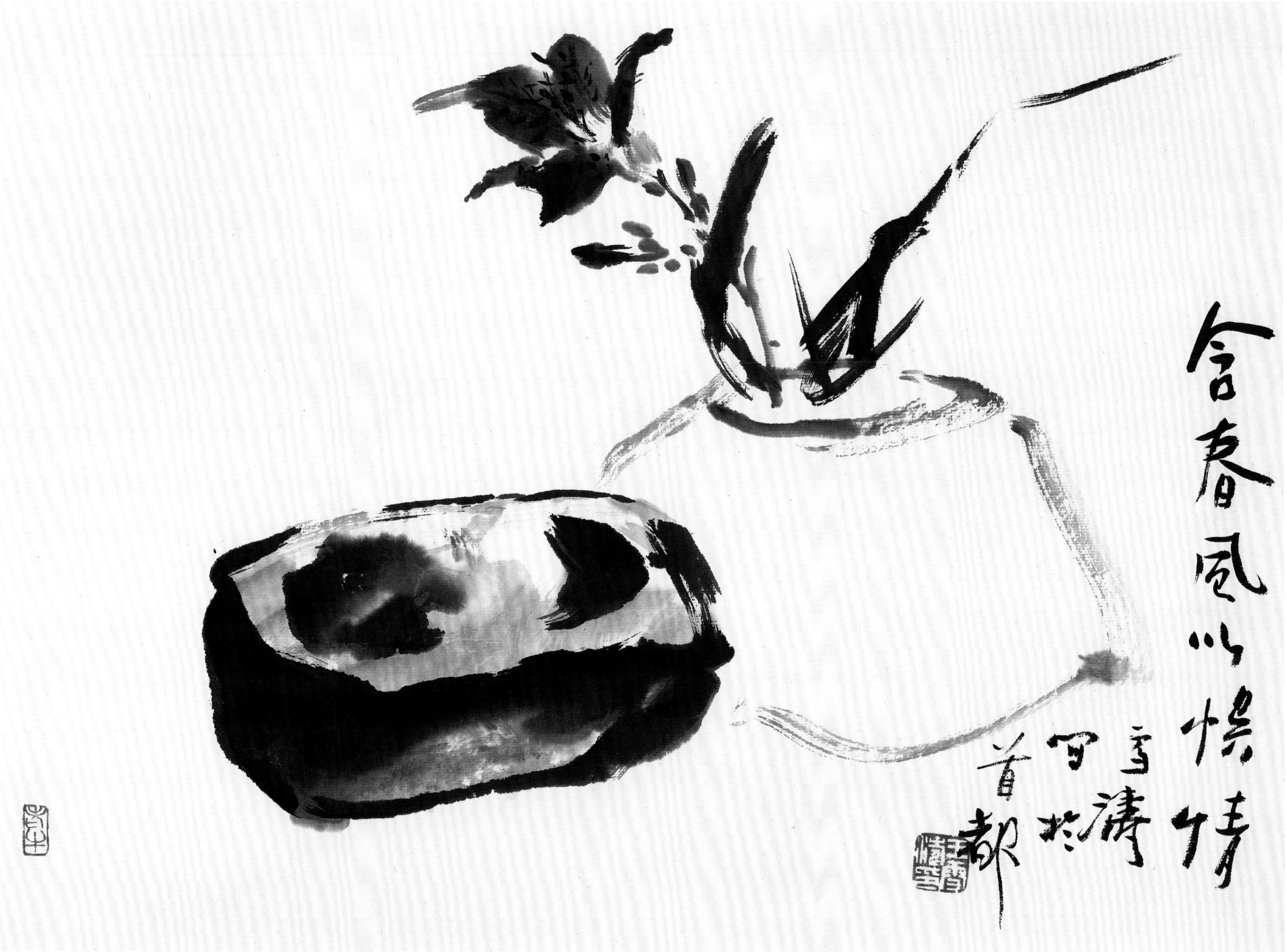

兰有
芳蕊栽
有恐相
同臭味
深沾襟
遭逢世
上雍堂
室好伴
深山春
支令
李晴江字
雪鸾寿师

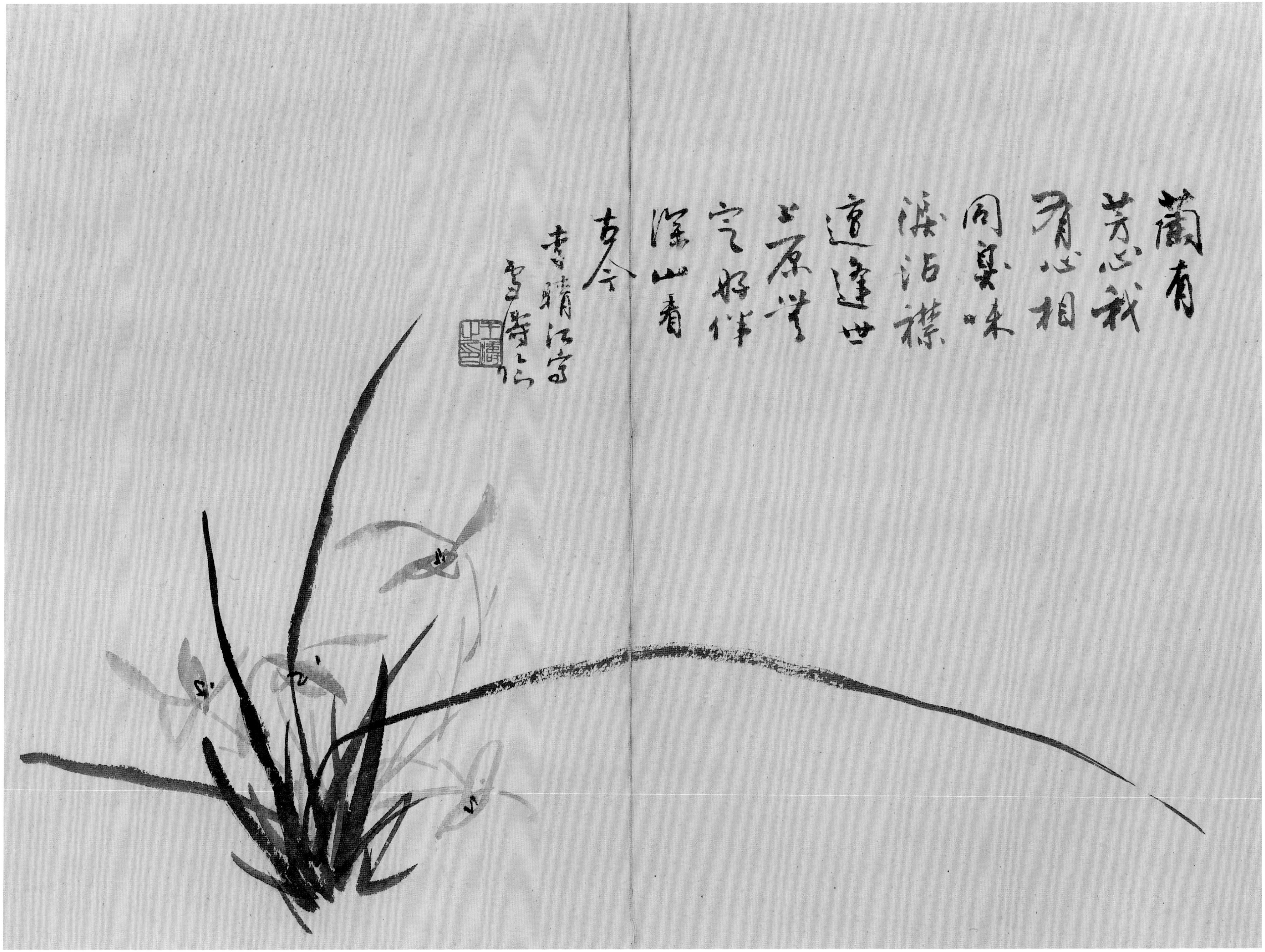

拟汪士慎笔意

僵寒龙驹不受羁玉花行遍小
桥西一春断事白雪冷清淯香
风趣玉端 巢林 雪个临

一〇

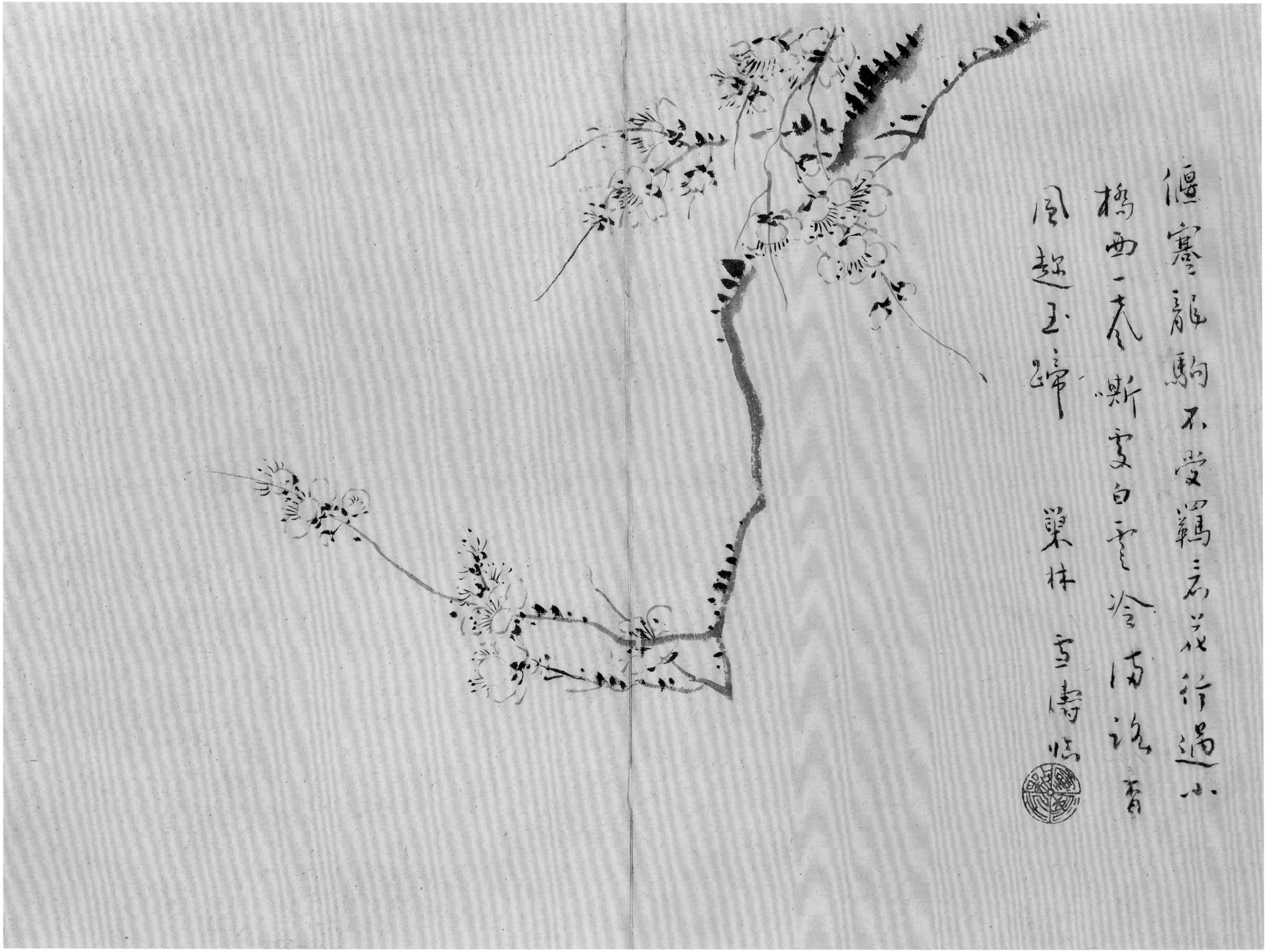

梅花道人戏墨

拟板桥笔意

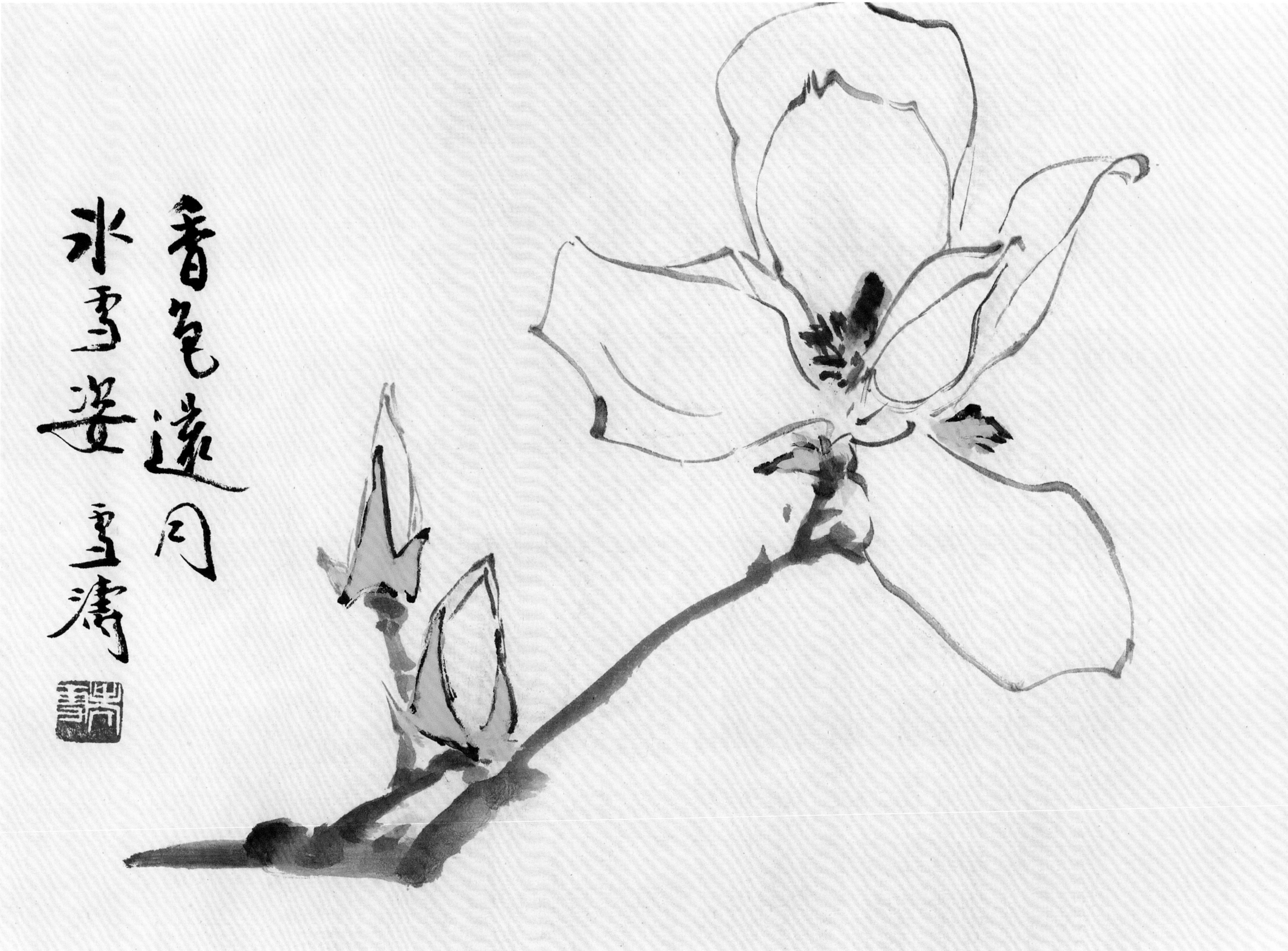
冰雪姿
雪濤

报春消息

美人蕉

晓露滴翠

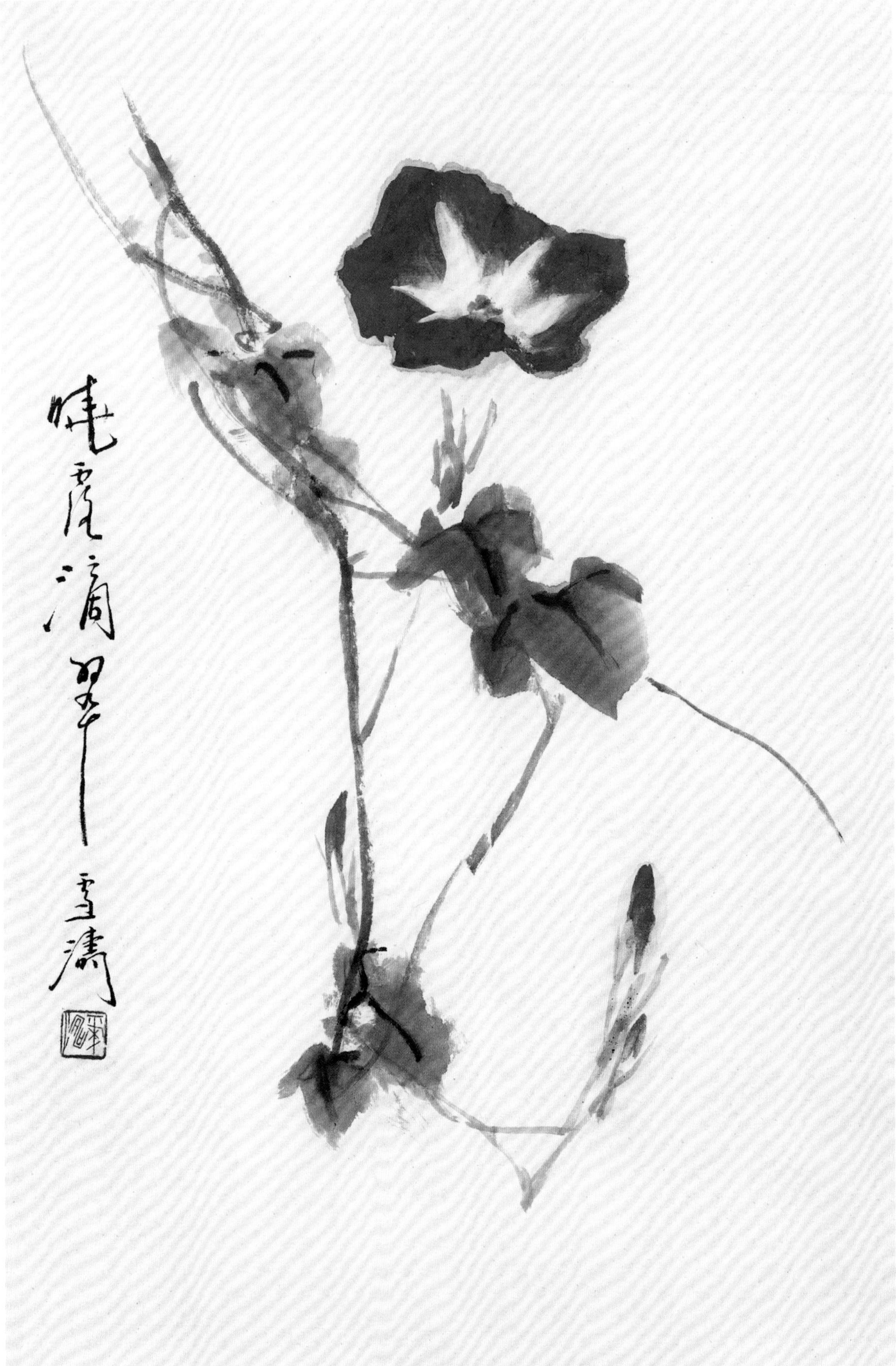

百合

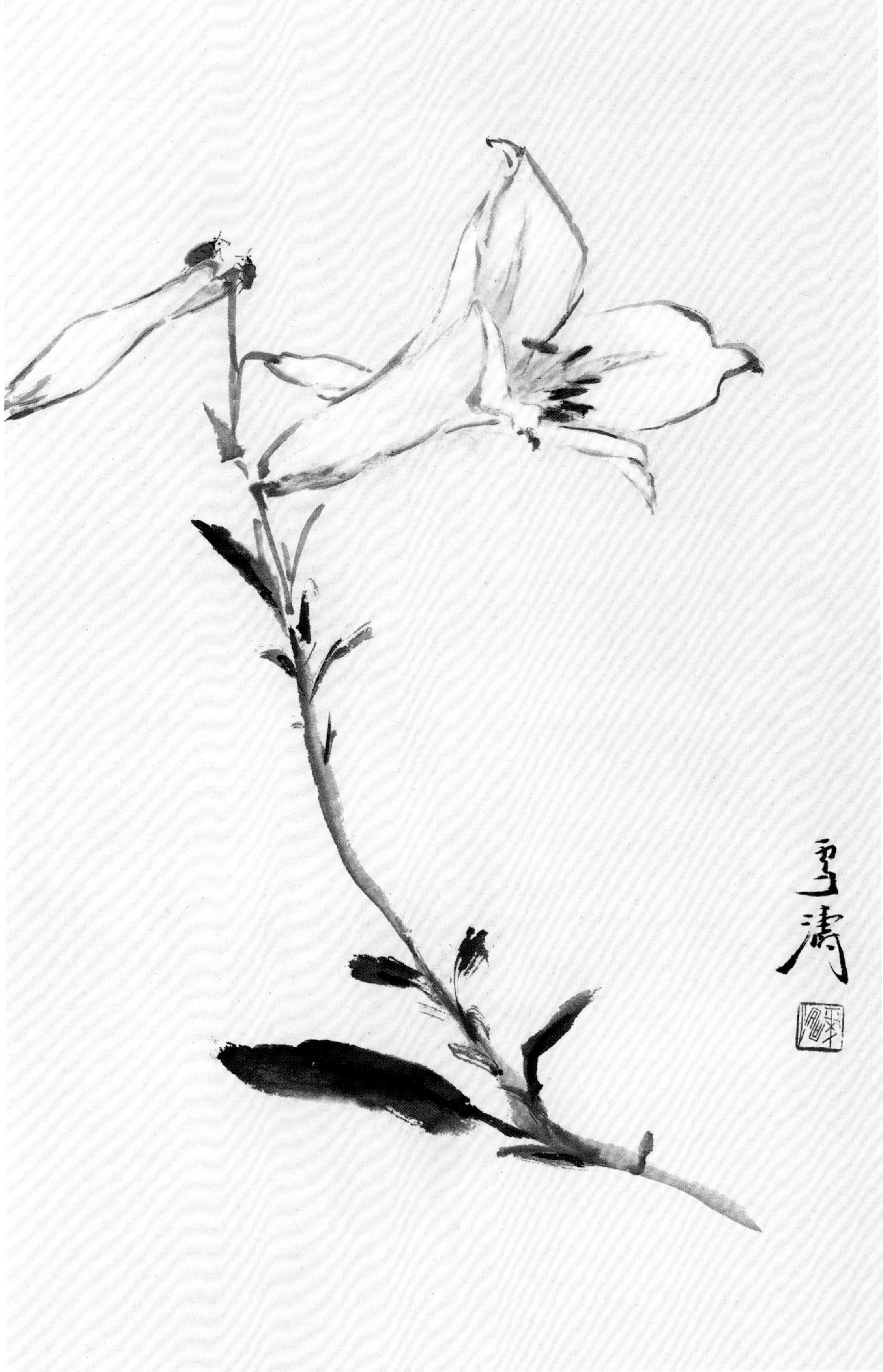

残束离蕙
白菌肥
宫为作情清爽
为秋漫写纪兴
叶年卯五月
雪涛

田园风味雪涛写

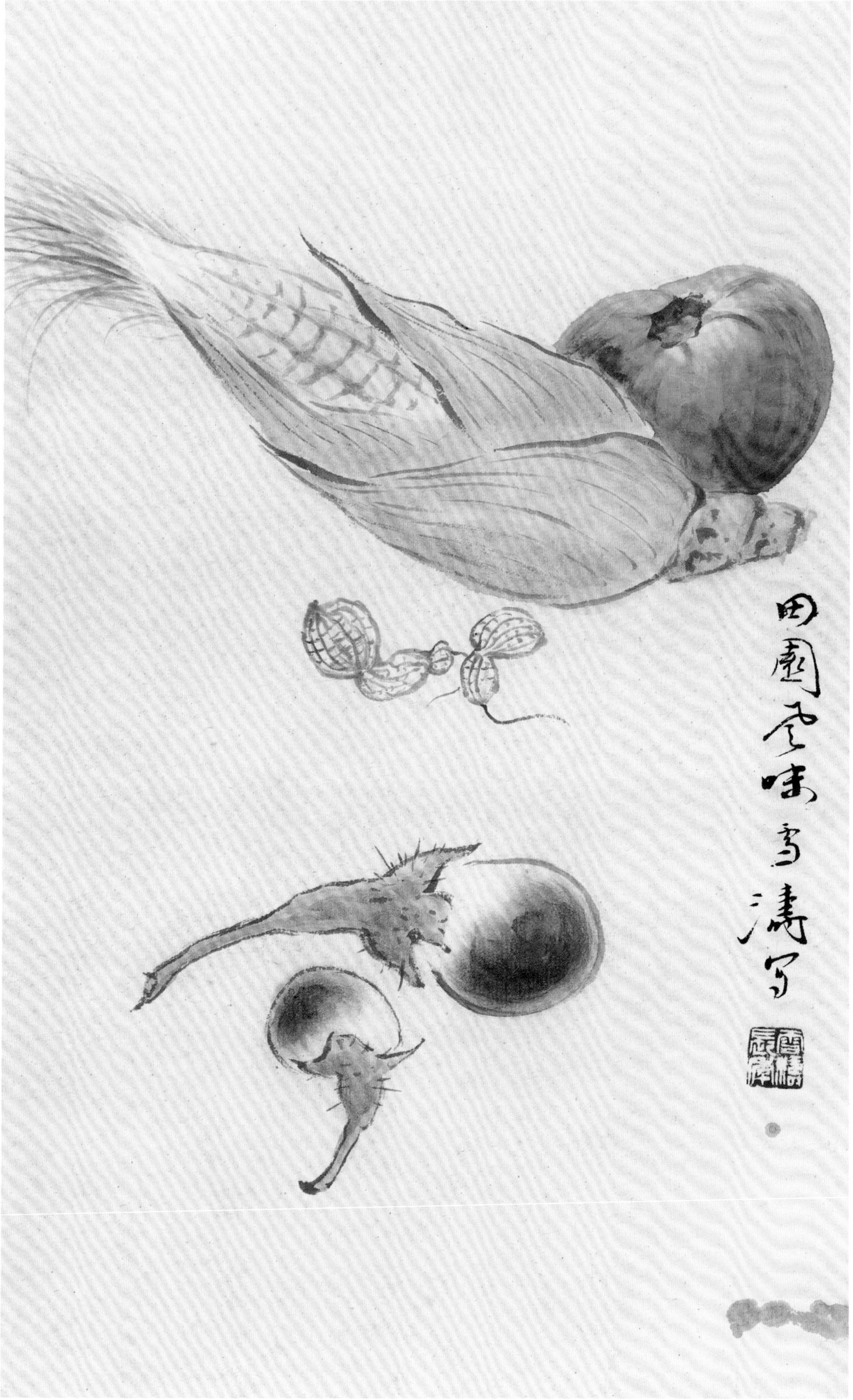

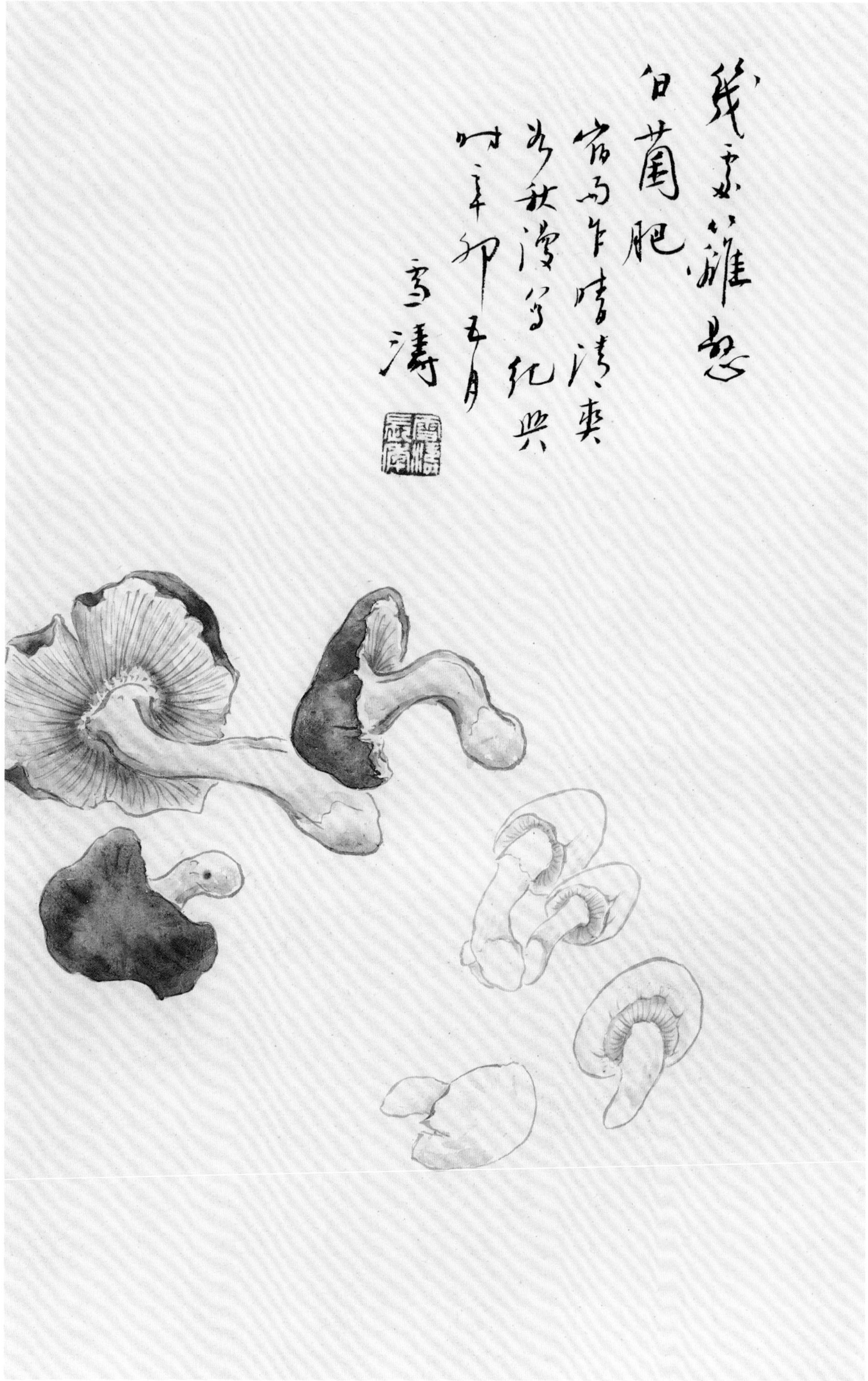

长春

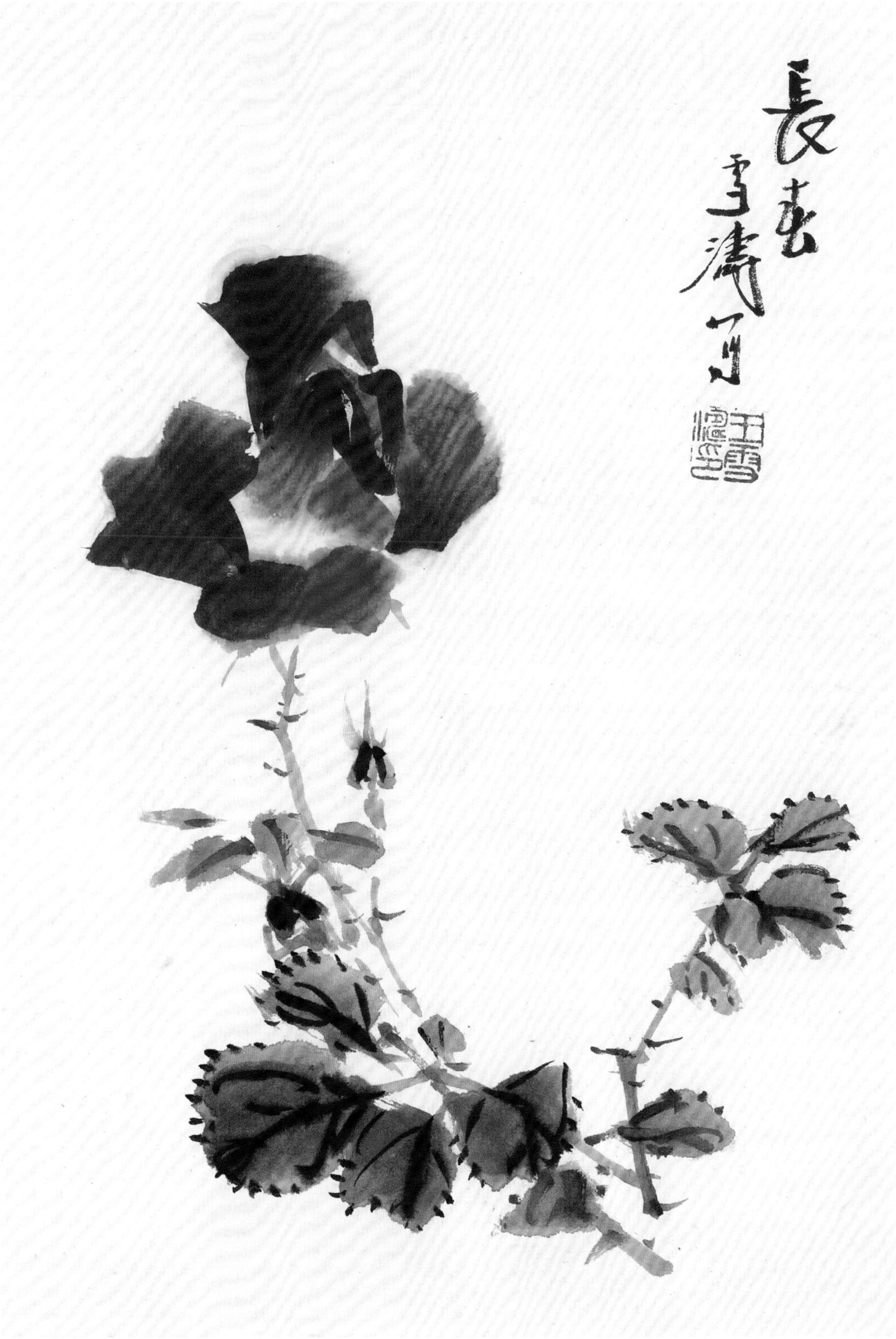

鲜红滴滴映霞明

色美如玉

水仙

露湿红芽

令箭荷花

虞美人

為石
林宗
蘭守
煦之壽

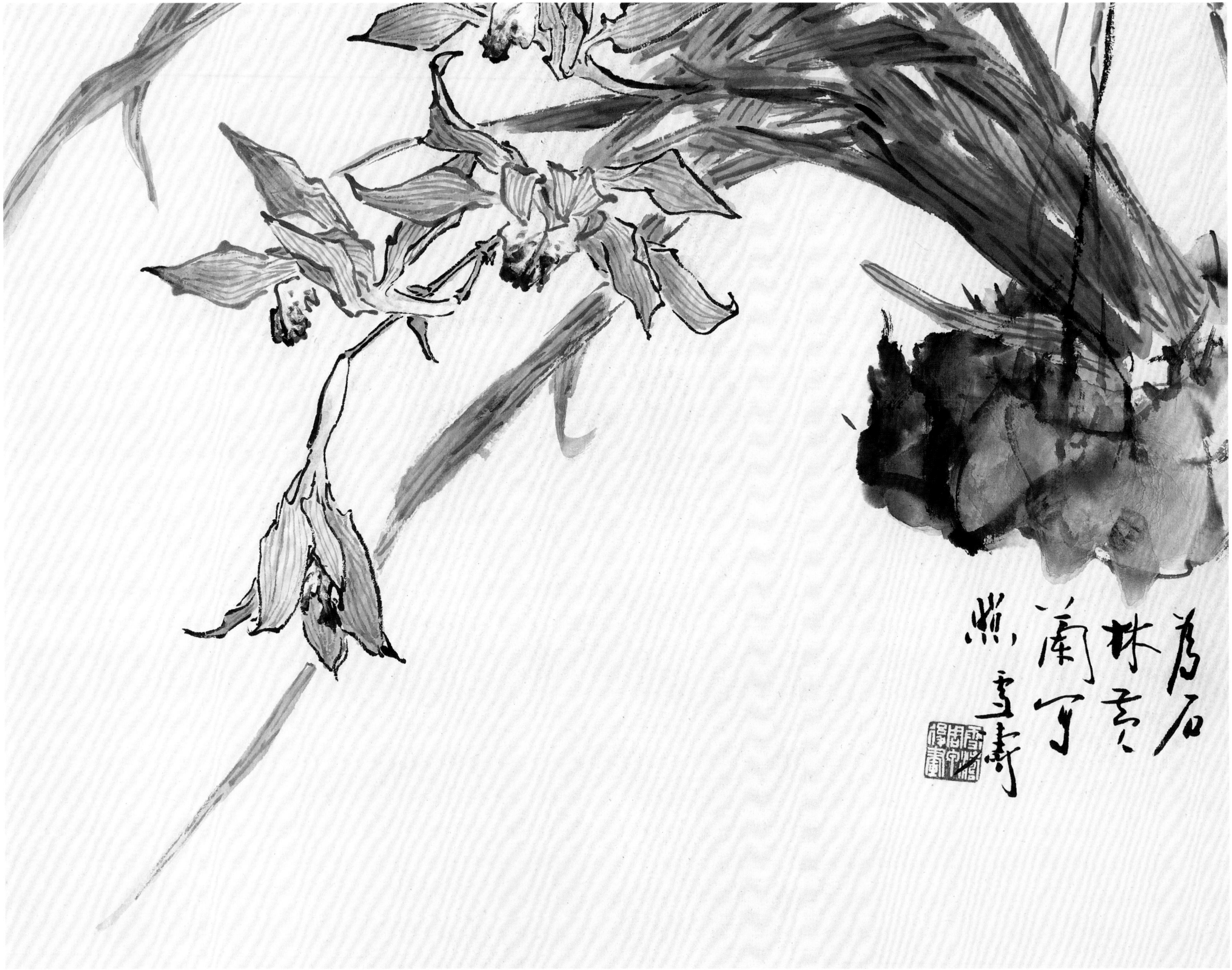

水仙

红梅

鸢尾

秋色（局部）

秋色

水仙天竹（局部）

水仙天竹

牡丹

娇艳

花开富贵

疗愁

浅而花钿
宣涛写

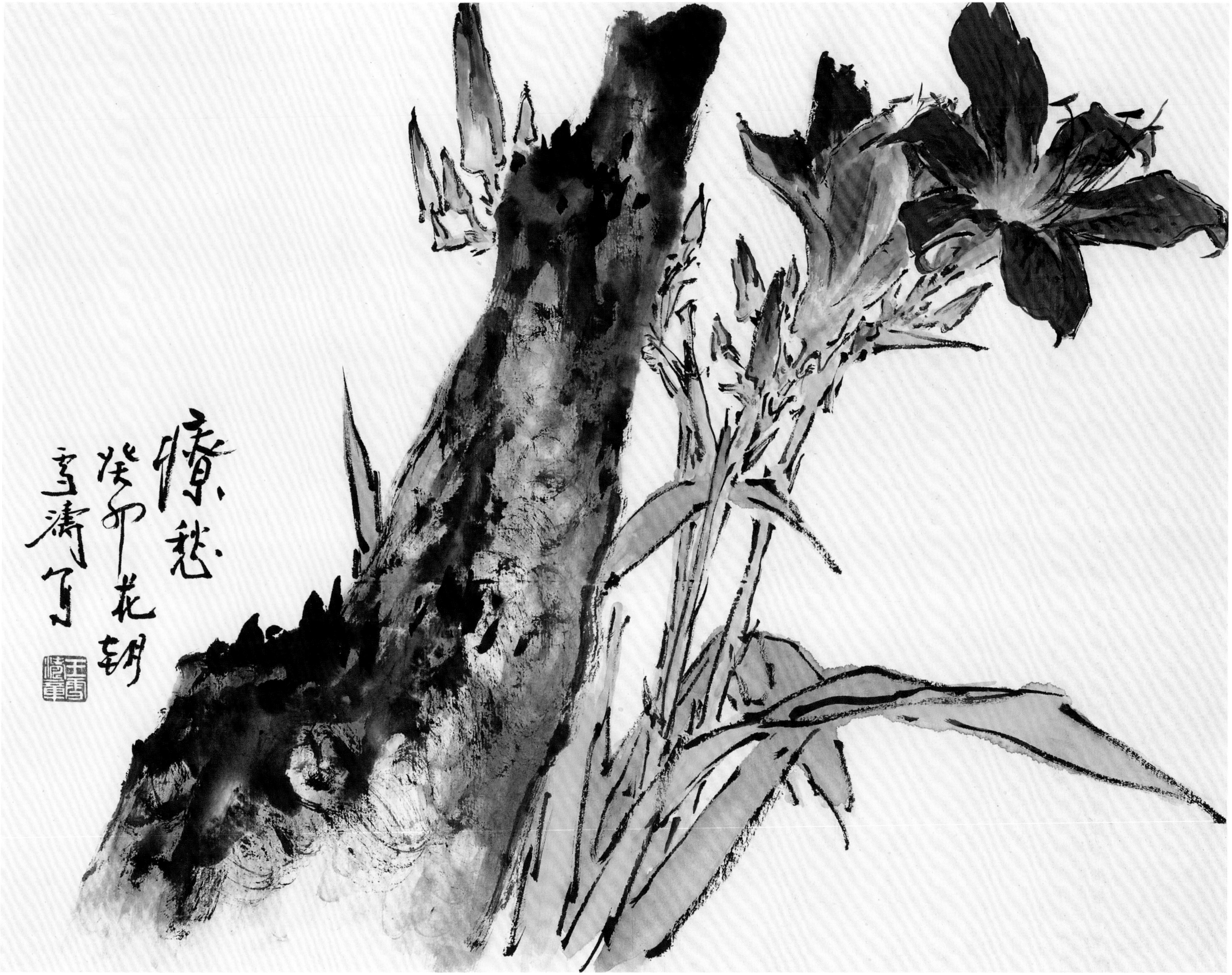

酣醉东风

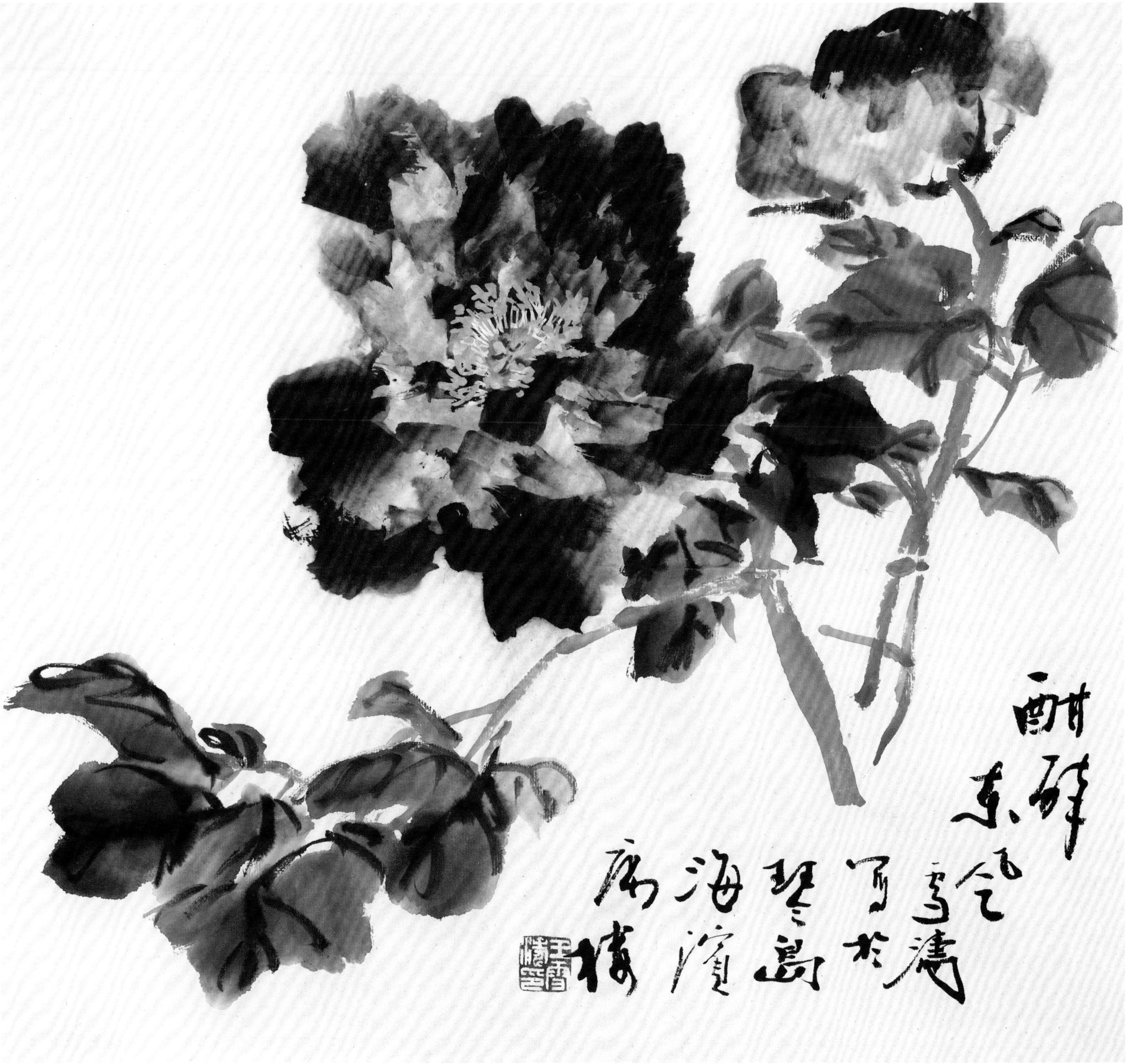

牡丹

花开蝶来

花开蝶来（局部）

怒放

怒放（局部）

风姿

己未夏日于荣宝斋展览会作 孝清

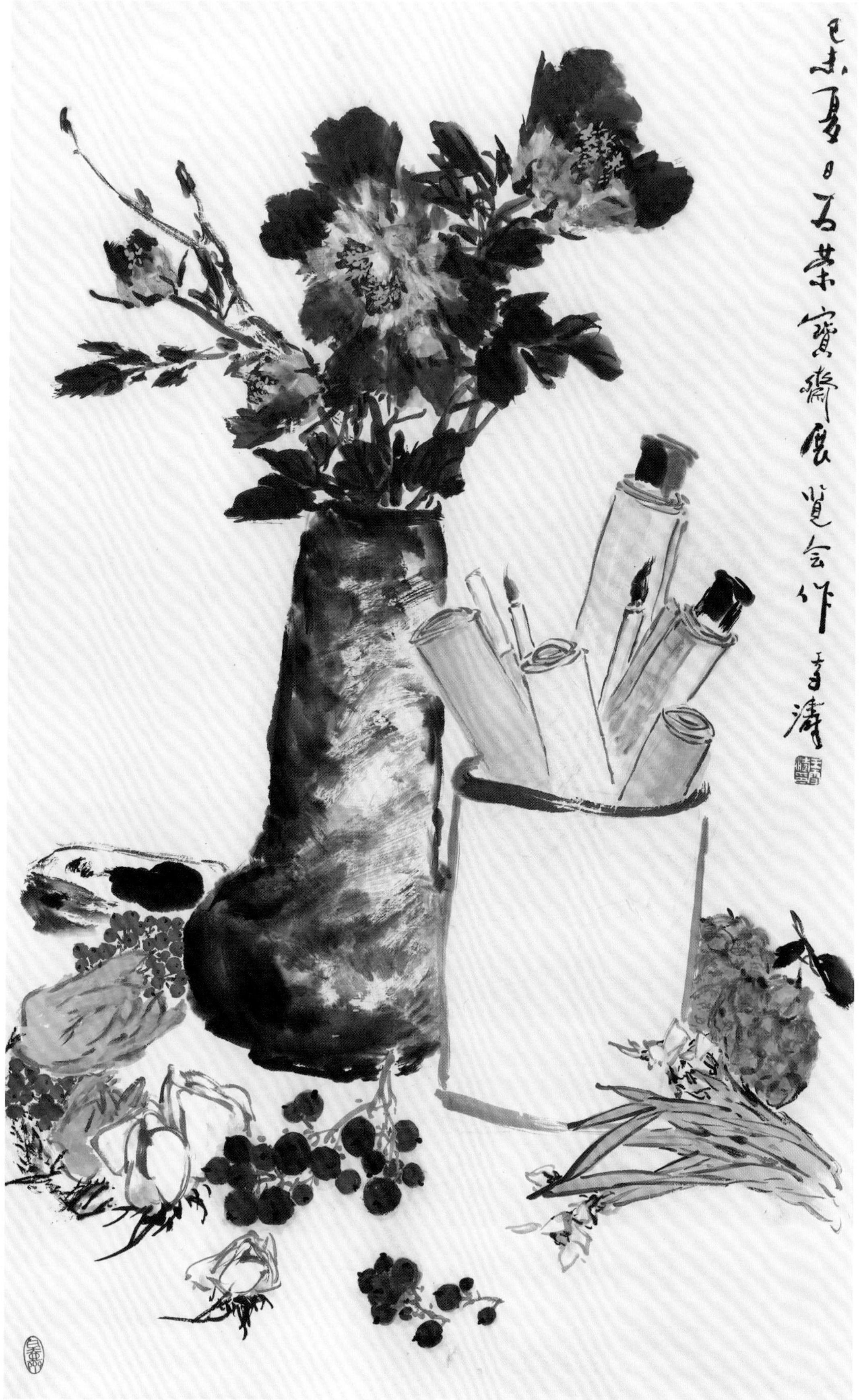

清供

百花齐放

争艳

岁寒三友（局部）

岁寒三友

红梅

傲雪

荣宝斋画谱

二三七

花卉部分

王雪涛绘

荣宝斋出版社